PENBLE
SIÔN CORN

Argraffiad cyntaf: Hydref 1996
ⓟ   Hawlfraint Y Lolfa Cyf., 1996

Mae hawlfraint ar gynnwys y llyfr hwn ac
mae'n anghyfreithlon i lungopïo neu
atgynhyrchu unrhyw ran ohono trwy unrhyw
ddull ac at unrhyw bwrpas (ar wahân i
adolygu) heb ganiatâd ysgrifenedig y
cyhoeddwyr ymlaen llaw.

UNED IAITH GENEDLAETHOL CYMRU

CBAC

Cyhoeddwyd dan nawdd Cynllun Llyfrau Darllen Cyd-bwyllgor
Addysg Cymru. Mae Uned Iaith Genedlaethol Cymru yn rhan o WJEC
CBAC cyf., cwmni a gyfyngir gan warant ac a reolir gan awdurdodau
unedol Cymru.

Rhif Llyfr Rhyngwladol: 086243 400 9

Cyhoeddwyd yng Nghymru
ac argraffwyd ar bapur di-asid a rhannol eilgylch
gan Y Lolfa Cyf., Talybont, Ceredigion SY24 5HE
e-bost ylolfa@netwales.co.uk
y we http://www.ylolfa.wales.com/
ffôn (01970) 832 304
ffacs 832 782.

PENBLETH
SIÔN CORN

FIONA WYNN HUGHES

yLolfa

I'm nai Iwan a'm nithoedd,
Fflur, Kathryn a Lucie

Yn ei gastell mawr yng nghanol yr eira,
roedd Siôn Corn yn brysur, brysur yn
paratoi anrhegion Nadolig i holl blant y
byd.

Nid oedd yn rhaid iddo wneud y gwaith i gyd ei hun. Na – roedd llawer yn ei helpu, fel Pwt a Swt y cathod du, Loti a Doti y cathod sunsur a Wadin y gath fawr wen. Hefyd roedd yno wyth o gorachod. Cadog oedd pennaeth y corachod.

Roedd i bawb ei swydd:

– agor llythyrau'r plant,

– ymweld â ffatri deganau Siôn Corn,

– dewis anrhegion,
– lapio'r anrhegion yn ofalus a lliwgar yn
y seler,

– ac wrth gwrs – bwydo'r ceirw fyddai'n cludo Siôn Corn yn gyflym o gwmpas y byd.

Fel arfer, ar ôl codi a chael llond bol o frecwast byddai'r teulu mawr yn mynd at eu gwaith. Roedd Loti a Doti yn gweithio yn y seler heddiw ac i ffwrdd â nhw i lawr y grisiau.

Meddai Loti: "Yli, mi ddechreua i ar y doliau yn fan hyn a dos dithau at y teganau meddal."

"Iawn, Loti," atebodd Doti.

Aeth y ddwy ati'n brysur.

Ymhen ychydig, gwaeddodd Doti: "Loti, mi ddaeth Pwt â phump o bob tegan yma ddoe. Does ond pedwar yma rŵan."

"Wyt ti'n siŵr?"

"Ydw, ond mi ofynna i i Pwt eto heno 'ma."

"Dos at y creision, y cnau a'r fferins am rŵan 'ta," meddai Loti.

"O'r gorau."

Tra oedd Loti yn brysur yn gosod papur gloyw a rubanau llachar am y doliau, roedd Doti yn syllu ar gornel y melysion ac yn crafu ei phen â'i phawen.

"Wel, wel! Mae 'na bethau rhyfedd yn digwydd yma neu rydw i'n mynd yn anghofus."

"Be sy rŵan, Doti?"

"Mae 'na dwll yn un o'r bagiau creision, ac mae 'na lawer o'r siocledi ar goll."

Rhedodd Loti at y gornel lle'r oedd Doti yng nghanol y pethau da a gweld bod llawer o bethau wedi diflannu.

"Dyna beth rhyfedd," meddai Loti. "Mi fydd yn rhaid inni ofyn i Pwt a Swt ddod i weld y seler amser swper. Mi fyddan nhw'n gwybod yn union faint o anrhegion sydd i fod yma."

Daeth amser swper a thra oedd y teulu i gyd yn eistedd o gwmpas y bwrdd yn bwyta, gofynnodd Loti i Pwt a Swt ddod i'r seler yn syth wedyn, i weld beth oedd wedi digwydd.

Yn y seler, edrychodd Pwt a Swt ar ei
gilydd yn ofnus.

"Mae 'na fwy na hyn i fod yma. Mae
rhywbeth wedi mynd o bob rhan o'r
seler," meddai Pwt.

"Bydd yn rhaid inni fynd i weld Siôn
Corn," meddai Swt.

Brysiodd y pedair i fyny'r grisiau. Roedd
pawb wedi casglu o gwmpas Siôn Corn
ac yntau'n canu'r piano.

Neidiodd y cathod duon ar ben y piano a dywedodd Loti: "Siôn Corn, mae rhywbeth wedi digwydd. Bu Doti a minnau yn gweithio yn y seler heddiw a sylwi bod rhai o'r anrhegion wedi diflannu."

"Ie, mae na deganau meddal, fferins, gêmau a phob math o anrhegion ar goll," ychwanegodd Doti.

"Bobl bach!" meddai Siôn Corn wedi dychryn. "Tybed beth sydd wedi digwydd? Awn ni'n ôl at ein gwaith yfory. Cofiwch, byddwch yn fwy gofalus nag arfer wrth gyfri pob dim. Amser gwely rŵan, bawb. Mae gennym ni ddiwrnod mawr yfory."

11

Y bore canlynol aeth pawb at eu gwaith
unwaith eto ond yn fwy gofalus y tro hwn,
trwy'r dydd, gan gyfri pob dim yn araf a
gosod popeth yn daclus.

Daeth hi'n fore eto ac yn amser gweithio
unwaith yn rhagor.

Pan aeth Loti a Doti at y seler roedd hi'n
amlwg fod pethau wedi mynd eto.

"Reit, awn i ddweud wrth Siôn Corn
ar unwaith," meddai Doti.

Rhedodd y ddwy gath yr holl ffordd at
swyddfa Siôn Corn a chnocio'r drws mawr
coch.

"Dewch i mewn," gwaeddodd Siôn Corn.

"Siôn Corn, roedd rhaid inni ddod yn syth – mae 'na fwy o anrhegion ar goll y bore 'ma. Rydan ni'n siŵr, yn enwedig ar ôl bod mor ofalus ddoe."

"Reit, well inni gael cyfarfod amser swper," meddai Siôn Corn.

Amser swper, roedd pawb o'r teulu yn
eistedd o gwmpas y bwrdd. Cododd Siôn
Corn ar ei draed a dweud:

"Wel, deulu bach, mae gen i
newyddion drwg. Mae 'na anrhegion wedi
diflannu o'r seler ac mae'n rhaid inni
ddod i wybod sut mae hyn yn digwydd.

"Wadin, rwyt ti'n gallu cyrlio i fyny fel pelen o wadin, felly rydw i am i ti smalio cysgu heno, ymhlith y teganau meddal, gan gadw golwg ar y seler."

"Cymryd arna i fod yn un o'r teganau, ie, Siôn Corn?"

"Ie," atebodd yntau.

"Mi alla i guddio yn y cwpwrdd a syllu trwy'r twll clo," meddai Cadog y corrach.

"Syniad da iawn, Cadog. Pawb arall i fynd i'w gwlâu fel arfer. Nos da, bawb."

Y noson honno, yn y seler, aeth Wadin y gath fawr flewog â chôt wen drwchus, i blith y teganau meddal a chyrlio ei chorff nes bod fel pelen fawr wen. Roedd Cadog y corrach yn cuddio yn y cwpwrdd ac yn syllu trwy dwll y clo.

Am dri o'r gloch y bore daeth sŵn o'r
unig ffenest oedd yn y seler. Daeth pawen
i'r golwg gan wthio'r ffenest fach ar agor.
Sleifiodd cath wyllt frown i mewn trwyddi â
chwdyn o gwmpas ei gwddf. Cerddodd o
gwmpas y seler am ychydig ac yna
cododd bacedi o gnau, creision a siocledi
a'u gosod yn y cwdyn. Yna aeth at y peli a

rhoi dwy o'r rheini i mewn yn ogystal â
rhai o'r gêmau. Rhoddodd bapur lapio a
rhuban ynddo hefyd. Yna sleifiodd allan
trwy'r ffenest ac i dywyllwch oer y nos.

Cododd Wadin a mynd at y cwpwrdd lle'r
oedd Cadog yn cuddio a'i agor a gofyn,
"Welest ti'r gath 'na?"

"Do" atebodd Cadog. "Tyrd, brysia,
awn ni ar ei hôl."

Rhuthrodd y ddau allan drwy'r ffenest i
ddilyn y gath wyllt a oedd yn carlamu'n
gyflym tuag at y goedwig. Roedd hi'n
mynd mor sydyn nes i Cadog a Wadin
gael trafferth ei dilyn.

Daeth y gath wyllt at ogof ym
mherfeddion y goedwig a cherdded i
mewn yn ddistaw bach. Roedd Wadin a
Cadog yn cerdded yn ddistaw bach y tu ôl
iddi. Dringodd y gath i fyny waliau'r ogof
nes ei bod yn uchel iawn a gosod y cwdyn
o'r golwg. Daeth i lawr a mynd yn bellach
i'r ogof ac o'r golwg.

Camodd y ddau'n ofalus y tu ôl iddi.
Roedd teulu cyfan o gathod yno yn cysgu
mewn rhes, a phob un yn denau a llwglyd
yr olwg. Aeth y gath wyllt frown at y
cathod fesul un a gosod ei phawen yn
ysgafn arnynt.

Trwy gornel ei llygad fe welodd hi Wadin
a Cadog a neidiodd mewn ofn.

Yna rhedodd atynt gan ddweud:

"I ffwrdd â chi! Ewch! Peidiwch â
dod yn agos at fy nheulu i!"

"Ond mi fuoch chi yng nghastell
Siôn Corn yn dwyn teganau'r plant.
Dewch yn ôl i'r castell ar unwaith i egluro i
Siôn Corn. Doedd ganddoch chi ddim hawl."

Felly, yn ôl trwy'r goedwig â nhw, a
Wadin a Cadog bob ochr i'r gath wyllt
nes cyrraedd y castell.

Roedd Siôn Corn yn eistedd yn ei swyddfa
yn disgwyl amdanynt.

"Dyma pwy oedd yn dwyn yr holl
anrhegion," meddai Cadog.

"Wel, wel, wel!" meddai Siôn Corn.
"A beth yw eich enw chi?"

"Taffi Triog," atebodd y gath yn
ddistaw.

"Pam, ga i ofyn, oeddech chi'n dod
i mewn i'r castell yma yng nghanol nos a
dwyn anrhegion Nadolig y plant?"

"Roedd rhaid imi wneud hynny, Siôn
Corn, er mwyn i fy nheulu i gael
anrhegion ar ddiwrnod Nadolig. Mae holl
anifeiliaid ac adar y goedwig yn erbyn y
cathod gwyllt. Maen nhw'n hawlio popeth
da sydd yn y goedwig ar gyfer y Nadolig,
ac yn gadael dim i ni. Does dim digon o
fwyd yna i ni. Mae fy nghathod bach mor
denau a gwan! Roeddwn i eisiau iddyn
nhw gael cystal Nadolig â phawb arall.
Dyna pam y cymerais i'r anrhegion o'r
castell. Doeddwn i ddim am iddyn nhw
wybod am helynt y goedwig."

"Wel, mae'ch stori chi'n drist iawn
ond doedd dim rhaid ichi ddwyn.
Petasech chi wedi anfon llythyr ata i, mi
fyddwn wedi dod heibio a gadael pob
math o bethau i chi a'ch teulu diwrnod
Nadolig gan gynnwys digonedd o fwyd."

"Mae'n wir ddrwg gen i am hyn
Siôn Corn. Sut medra i dalu'n ôl i chi?"

"Wel, mi gewch chi a'ch teulu i gyd
symud o'r ogof 'na heddiw a dod i fyw
atom ni i'r castell. Mi fydd yn rhaid ichi i
gyd weithio'n galed yma, cofiwch, yn
enwedig gan fod y Nadolig yn agosáu.
Mae 'na lawer iawn o waith. Cewch fwyd
a gwely bob un. Beth amdani?"

"O mi rydach chi'n ddyn caredig!
Diolch yn fawr, Siôn Corn. Mi weithiwn
ni'n galed i chi am hyn. Mi af ar unwaith i
nôl y gweddill i'r goedwig."

Ac felly y bu, ac erbyn hyn mae gan Siôn
Corn lawer iawn, iawn yn ei helpu bob tro
mae angen paratoi anrhegion Nadolig i
blant y byd.